Y0-BWW-162

LES ÉDITIONS Z'AILÉES
22, rue Ste-Anne C.P. 6033
Ville-Marie (Québec) J9V 2E9
Téléphone : 819-622-1313
Télécopieur : 819-622-1333
www.zailees.com

DIFFUSION ET DISTRIBUTION : MESSAGERIES ADP
2315, rue de la Province
Longueuil (Québec) J4G 1G4
Téléphone : 450-640-1237
Télécopieur : 450-674-6237
www.messageries-adp.com
*filiale du Groupe Sogides inc.,
 filiale du Groupe Livre Québecor Média inc.

Infographie : Impression & Design Grafik
Maquette de la page couverture : Impression & Design Grafik/Maxim Gélinas
Illustrations des *Savais-tu que* : Sylvie Gagnon
Texte : Luc Gélinas
Crédit photo : Sabrina Proulx

Impression : Février 2016
Dépôt légal : 2016
Bibliothèque nationale du Québec
Bibliothèque nationale du Canada

© Luc Gélinas et Les Éditions Z'ailées, 2016
Tous droits réservés.

ISBN : 978-2-924563-09-0

Imprimé au Canada sur papier recyclé. ♻

Les Éditions Z'ailées remercient la SODEC pour l'aide accordée à
leur programme de publication et reconnaissent l'aide financière du
gouvernement du Canada par l'entremise du Fonds du livre du Canada
(FLC) pour leurs activités d'édition.

Gouvernement du Québec — Programme de crédit d'impôt pour l'édition
de livres — Gestion SODEC

L'étonnante saison des Pumas
Les débuts de Tristan

TOME 1

PAR LUC GÉLINAS

À tous ces jeunes qui jouent au hockey pour le simple plaisir de s'amuser sur une patinoire.

CHAPITRE 1

— Allez, papa, réveille-toi, insiste Tristan un brin découragé en poussant énergiquement sur l'épaule de son père pour la troisième fois.

— Reviens dans dix minutes, il est encore beaucoup trop tôt, grommelle l'homme en n'ouvrant même pas les yeux.

— Non, insiste le garçon. C'est l'heure que tu te lèves, point final.

L'alarme de ton téléphone a déjà sonné et moi, je suis debout depuis cinq heures dix-sept. J'ai faim. Je veux déjeuner et il ne faut surtout pas arriver en retard.

— Si tu as faim, descends et mange. Tu es rendu assez vieux pour t'arranger tout seul. Tu n'as plus besoin de ton père pour ça, répond Sylvain Labelle en tirant la couverture par-dessus sa tête pour se dissimuler.

— Papa, ce n'est pas drôle, réplique Tristan. Lève-toi, s'il te plaît.

— Les gars, pouvez-vous cesser de parler? demande soudainement Sonia d'un ton un brin autoritaire. C'est samedi matin, alors respectez mon sommeil. Si c'est trop compliqué, vous allez voir que j'annulerai ça, moi, le hockey. Je vous avais prévenus que vous étiez pour vous embarquer dans des horaires de débiles quand vous avez parlé de votre idée, cet été.

— Calme-toi, So. Je vais me lever, dit Sylvain pour amadouer son épouse.

— Je suis très calme. Je veux juste dormir et c'est parfaitement légitime, réplique-t-elle froidement. C'est samedi, j'ai travaillé fort toute la semaine. Alors soit que tu te lèves, soit Tristan va déjeuner tout seul en attendant que tu arrêtes de faire le paresseux.

Sans rien dire, Sylvain sort du lit, les cheveux tout ébouriffés et les yeux à peine entrouverts. Tel un automate, il marche lentement vers la salle de bain pour se brosser les dents. Fier de sa victoire, Tristan profite de l'absence de son père dans la chambre pour aller remercier sa mère. Dans le fond, c'est grâce à son intervention qu'il s'est résigné à sortir des draps!

— Merci, maman, murmure-t-il doucement en arrivant de l'autre côté du lit.

— Je t'aime, mon chéri, mais laisse-moi dormir, riposte-t-elle en passant délicatement la main gauche dans les cheveux de son fils. Je te l'ai expliqué quand tu as décidé de t'inscrire au hockey, c'est une affaire entre papa et toi, ajoute-t-elle. Moi, ça ne m'intéresse pas du tout... encore moins le samedi matin. Bon hockey, les gars! À cette heure-ci, les gens normaux dorment le samedi, conclut-elle en se retournant.

Tristan hausse les épaules en se disant intérieurement que c'est sa mère qui n'est pas normale. Si c'était lui qui décidait, les entraînements se dérouleraient encore plus tôt. Les jours de semaine, l'autobus le cueille devant la porte chaque matin à sept heures et demie pour aller à l'école. Alors ce n'est certes pas un sacrifice que de partir un peu plus tôt si c'est pour se rendre à l'aréna.

Quand il arrive dans la cuisine, son père s'affaire déjà à préparer le petit-déjeuner. Tristan n'aime pas le café, mais, curieusement, il en adore l'odeur. Il y a goûté quand il avait trois ans et il avait immédiatement recraché sa gorgée dans la tasse de sa grand-mère. Tout le monde avait bien ri. Presque autant que la fois où son oncle Dominic lui avait fait boire du vin rouge en lui disant que c'était du jus de raisin.

— Tiens, un bon gros déjeuner de sportif, dit son père en déposant son assiette sur le comptoir. Deux œufs, une tranche de jambon, des petites patates et deux rôties. Es-tu nerveux, mon homme? demande Sylvain en retournant vers la cuisinière pour préparer son propre repas.

— Non, pas du tout. Pourquoi je serais nerveux?

— Parce que c'est ce matin qu'on saura si tu seras choisi dans l'atome A, précise Sylvain.

— Je m'en fous de jouer A ou B.

Mais je sais que c'est moi le meilleur, ajoute-t-il la bouche pleine. La semaine passée, j'ai réussi un but contre les blancs. En plus, j'ai plaqué un gars et il a eu de la misère à se relever. C'est certain que je vais jouer dans l'atome A.

— Je t'ai déjà dit que tu n'as pas le droit de plaquer à ton âge. Et si tu t'en fous, pourquoi tu dis que tu es le meilleur?

— Parce que c'est la vérité. Ugo me l'a dit en plus.

— Alors là, si ton oncle Ugo te l'a dit, c'est sûrement parce que c'est vrai! répond son père. Mais comme je t'ai expliqué hier soir, c'est possible que tu ne sois pas choisi. Je te répète que tu es un joueur de première année dans la catégorie atome et qu'en plus, personne ne te connaît, car c'est ta première saison dans le hockey organisé.

— Comme personne ne connaissait PK Subban avant qu'il ne joue pour le Canadien, et maintenant tout le monde le veut dans son club. C'est la même affaire, rétorque Tristan qui a toujours réponse à tout. C'est pareil avec Max Pacioretty et Carey Price. Avant, personne ne les connaissait et aujourd'hui, tout le monde sait qui ils sont!

— Tu as raison. C'est pareil, sauf que toi, tu joues à l'avant, rigole son père. Allez, PK Labelle, mange, on part dans quinze minutes. Il faut être à l'aréna à six heures et demie.

SAVAIS-TU QUE...

Seulement 4 recrues ont atteint le plateau des 50 buts en une saison.

76   Teemu Selanne   1992-1993
Jets de Winnipeg

53   Mike Bossy   1977-1978
Islanders de New York

52   Alex Ovechkin   2005-2006
Capitals de Washington

51   Joe Nieuwendyk   1987-1988
Flames de Calgary

CHAPITRE

2

Agenouillé devant son fils, Sylvain finit de lacer le deuxième patin. Puis, il se relève avec précaution pour ne pas accrocher la dame à sa gauche. Le vestiaire est bondé de jeunes joueurs et de parents. Tout le monde parle en même temps. On sent non pas la nervosité, mais l'excitation.

— Je m'appelle Sam, dit le jeune homme assis à côté de Tristan. En fait, mon vrai nom est Samuel, mais il n'y a personne qui m'appelle Samuel, à part mon prof.

— Je le sais que tu t'appelles Samuel, c'est écrit sur ton casque! répond Tristan en riant. En plus, je t'ai déjà vu à l'école, mais je ne connaissais pas ton nom.

Pendant que son père termine de lui enfiler ses épaulettes, Tristan étire le bras et montre fièrement son propre casque à son nouvel ami.

— Moi, je m'appelle Tristan. C'est la première année que je joue au hockey.

— Tu n'aimais pas ça avant? demande Sam.

— Non, c'est ma mère qui ne voulait pas. Elle dit que, la fin de semaine, on n'a pas juste ça à faire aller à l'aréna, parce qu'on a un chalet et qu'on fait du ski alpin l'hiver, explique Tristan sans retenue.

— Tristan Labelle, ce n'est pas juste ça, intervient Sylvain en souriant, un peu gêné. On voulait aussi être certains que tu allais aimer assez ça avant de t'inscrire. Et maintenant que tu sais très bien patiner, on a décidé qu'on allait essayer le hockey, explique-t-il en regardant la mère de Samuel qui écoutait la conversation, bien malgré elle.

— C'est normal, commente la dame d'un ton compréhensif.

— Surtout qu'il y a trois ans, il a essayé le judo et il a lâché après même pas trois semaines. Mon épouse et moi, on voulait être certains qu'il ne ferait pas la même chose au hockey, ajoute-t-il.

Sylvain fronce les sourcils et dévisage son fils en soupirant. Visiblement, il n'a pas aimé qu'il déballe leur vie sur la place publique.

— Salut, tout le monde! résonne une grosse voix rauque.

C'est celle de Martin Dupuis, le père du gardien de but Jacob, mais surtout l'entraîneur de l'équipe atome A de Saint-Boniface-de-Shawinigan.

Du coup, tout le bavardage cesse dans le vestiaire. En silence, Sylvain tire sur le chandail rouge de Tristan et le visage heureux de son fils apparait.

— Je suis content de voir que tout le monde est presque prêt. On va embarquer sur la patinoire dans dix minutes, c'est-à-dire à sept heures pile, pas une minute plus tard. Ça fait maintenant trois semaines que vous travaillez fort et je suis vraiment fier de vous, continue monsieur Dupuis.

Il prend une brève pause pour avaler une gorgée de café.

— Ce matin, ça sera difficile, poursuit-il. On sera obligés de choisir dix-sept joueurs ou joueuses : neuf avants, six défenseurs et deux gardiens. On vous évalue depuis presque un mois et vous êtes tous très bons. Ça ne veut pas dire que ceux qui ne seront pas choisis ne sont pas bons. Honnêtement, cette année, on pourrait faire deux clubs de A tellement vous avez du talent, mais on n'a pas le choix de faire juste une équipe. Je vais regarder l'entraînement dans les estrades, explique-t-il. On a déjà fait une liste, mais ce n'est pas encore final, alors travaillez fort ce matin et, dans une heure, je vais descendre dans le vestiaire pour vous dire qui sera dans mon club.

— Tu n'étais pas là les autres semaines? demande Tristan à Samuel dès que l'entraîneur termine ses explications.

— Non, j'étais au camp du CC. J'ai été retranché jeudi, répond le jeune homme en faisant la moue.

— Oui, et il devrait encore être là, mais le coach a choisi le fils d'un de ses amis à la place de Sam, coupe sa mère.

— C'est dommage, ça, commente Sylvain, qui ne sait trop quoi ajouter de plus.

— C'est plus que dommage, répond sèchement Chantal Dansereau. Mon mari a écrit une lettre à Hockey-Québec parce que c'est une injustice. Sam était le meilleur de l'équipe l'an passé dans le A et ce n'est pas normal qu'il joue encore là cette année. C'est toujours la même affaire avec ce coach-là. Il prend son fils et les gars de ses *chums*. Ils n'ont pas gardé un seul petit gars de Saint-Boniface dans leur club. Ça ne restera pas là, cette histoire-là, croyez-moi! En plus, Sam a marqué deux buts durant la joute avant d'être retranché. Si ça ne marche pas, mon mari pense à prendre un avocat et aller plus loin que Hockey-Québec. En attendant que cette histoire se règle, même s'il est trop fort pour ce calibre, Sam vient jouer avec le A plutôt que de perdre encore plus son temps à la maison.

— Ouais, c'est vrai que c'est regrettable, répond le père de Tristan. Bonne chance avec cette histoire. Moi, je ne suis pas trop au courant comment ça fonctionne, c'est la première année que fiston joue au hockey, avoue Sylvain qui ne désire aucunement élaborer sur le sujet.

Il se tourne ensuite vers son garçon pour lui dire :

— Bonne chance, Tris, amuse-toi

bien, mon homme, et n'oublie pas que tu n'as pas le droit de plaquer, chuchote Sylvain en se penchant vers son fils. L'autre affaire, essaie de faire des passes parfois. Et surtout, quand tu remarques que tous les autres joueurs se regroupent en paquet pour aller chercher la rondelle, pense à rester à l'écart du groupe. Ça ne donne rien d'être dans le tas avec tout le monde. Si tu es à côté, tu vas pouvoir prendre la rondelle et partir avec.

— Merci, p'pa... mais tu m'as déjà dit tout ça tantôt dans l'auto...

— C'est vrai. J'avais oublié parce que je ne suis pas encore complètement réveillé!

SAVAIS-TU QUE...

La Coupe Stanley pèse 34½ livres (15½ kg) et mesure 35¼ pouces (89,5 cm).

L'été suivant la conquête de la coupe, tous les joueurs de l'équipe gagnante et les membres du personnel comme les dirigeants, les entraîneurs et les recruteurs ont le privilège de passer une journée entière avec l'illustre trophée pour célébrer avec leurs amis et leur famille dans la ville où ils demeurent.

CHAPITRE 3

— Maman, tu es où ? crie Tristan en ouvrant la porte de la maison.

— En haut, dans ta chambre, hurle la mère pour être certaine de se faire repérer rapidement. Je plie tes vêtements.

— Devine quoi ? demande-t-il en grimpant en vitesse dans les escaliers deux marches à la fois. J'ai été choisi dans le A ! On va s'appeler les Pumas !

«Il y a aussi Frédéric et Olivier dans mon équipe, poursuit-il en faisant irruption dans la pièce. On a un entraînement demain soir à sept heures et c'est là qu'on choisira nos numéros, déballe Tristan avec enthousiasme, sans même reprendre son souffle. J'ai demandé pour avoir le numéro soixante-sept comme Max Pacioretty, et notre coach, monsieur Dupuis, a dit que c'était possible qu'il me le donne vu que je suis le premier à l'avoir demandé. Il m'a aussi dit qu'il trouvait d'ailleurs que je jouais exactement comme lui!»

— Calme-toi, mon amour. Je n'ai pratiquement rien compris tellement tu parles vite! Et pourquoi vous ne m'avez pas téléphoné pour m'apprendre la bonne nouvelle? questionne-t-elle en souriant.

— Tristan tenait absolument à t'annoncer ça en personne, répond Sylvain qui les a rejoints. Je suis vraiment fier de lui. Ce matin, il a travaillé extrêmement fort. Regarde, il a encore les cheveux tout mouillés!

— Je trouve que ça commence quand même un peu mal, cette histoire-là. Un entraînement à dix-neuf heures, ça veut dire que vous ne serez pas revenus à la maison avant vingt heures trente. Tristan ne sera donc pas couché avant vingt et une heures. C'est très tard pour un p'tit gars qui vient d'avoir neuf ans et qui va à l'école le lendemain.

— Là-dessus, je suis totalement

d'accord avec toi, répond Sylvain. C'est inhabituel parce que c'est le début de l'année, mais Martin a expliqué que ça n'arrivera plus.

«Martin, c'est le coach, précise Sylvain. Demain, après l'entraînement, on va avoir une réunion de parents et ils vont nous expliquer le programme pour la saison et on choisira un gérant ou une gérante qui, entre autres, s'occupera de la planification des entraînements. Ça serait bien que tu sois là pour connaître les autres parents et les entraîneurs.»

— Demain, c'est dimanche, et le dimanche soir, j'ai un paquet d'émissions à la télé, riposte-t-elle sèchement.

— Ben tu resteras ici, coupe Tristan.

Ce n'est pas grave si tu ne connais pas les autres parents parce que, de toute façon, tu as dit que tu ne viendrais même pas me voir jouer si j'embarquais dans le hockey. Ça ne donne rien de connaître des gens que tu ne reverras pas, conclut le garçon en tournant les talons pour descendre à la cuisine.

— Bravo, Sonia, intervient Sylvain en haussant les bras vers le ciel. Tu viens de gâcher un beau moment. Notre fils avait tellement hâte de te voir pour te dire qu'il avait été choisi dans le A.

— Je suis contente aussi. Mais c'est ta faute, tu avais juste à ne pas me demander d'aller à la réunion de l'équipe demain. Tu connaissais parfaitement ma réponse et je gage que tu m'as quand même posé la question seulement pour me mettre de la pression en espérant que je change d'idée pour ne pas faire de la peine au petit. Tu es mesquin, Sylvain, vraiment très mesquin, dit-elle furieuse avant de sortir de la chambre à son tour.

— Arrête, Sonia, on ne va pas se chicaner pour des niaiseries, dit Sylvain en la suivant. Ce n'est pas grave si tu ne veux pas venir au hockey. Ne te fâche pas pour des petits détails comme ça.

Assis au comptoir de la cuisine, Tristan entend son père fermer la porte de la chambre. Ce n'est pas la première fois qu'il surprend ses parents à se quereller. Peut-être vont-ils finir par divorcer, comme les parents de Simon-Pierre, son meilleur ami? Ces derniers temps, ils semblent se disputer beaucoup plus fréquemment et, en général, ça n'a rien à voir avec le hockey.

Aussi bien les laisser régler leur différend. Il regarde vers le four micro-ondes. Bientôt dix heures. Il est assez tard pour téléphoner chez son copain Simon-Pierre.

— Devine quoi, Sim? demande Tristan.

— Je ne sais pas, moi! répond Simon-Pierre. Tu as été choisi dans le A?

— Yep.

— C'est normal. Tu m'avais dit que tu étais le meilleur.

— Est-ce qu'on fait une *game* de hockey-balle chez toi?

— Oui, mais juste dans quinze minutes parce que là je suis obligé de finir mon sapristi de devoir. Ma mère m'empêche de faire quoi que ce soit tant que je n'aurai pas fini le travail de français de madame Suzanne. J'achève.

— Mais dans quinze minutes, est-ce qu'on fait une *game*? redemande Tristan.

— Attends, dit Simon-Pierre en déposant le combiné.

Tristan l'entend crier pour demander l'approbation de sa mère. Au loin, plus faiblement, il entend aussi la réponse qu'il souhaitait.

— C'est beau. On peut jouer à dix heures et demie. Apporte ton but comme la semaine passée.

— Si mon père veut me conduire chez toi, je vais l'apporter. Je te rappelle tantôt pour te dire si je viens en camion ou à pied. Mes parents se chicanent dans leur chambre et je ne peux pas demander à mon père tout de suite. Penses-tu que ton voisin va venir jouer? questionne Tristan.

— Dominic?

— Non, pas Dominic. Il peut venir quand même, mais je voulais dire le nouveau, le grand qui va à l'école secondaire.

— On ira sonner chez lui quand

tu arriveras, propose Simon-Pierre. Moi, pour l'instant, il faut que je finisse mon devoir. Avant de venir, peux-tu téléphoner aux gars pour faire les équipes? Les mêmes que la semaine passée : Rudy, Thierry et Noah.

— C'est possible que Fred et Oli viennent aussi. J'ai oublié de te dire qu'ils sont dans mon équipe. Je leur ai demandé tantôt après l'entraînement et il fallait qu'ils vérifient auprès de leurs parents.

— Attends! coupe Simon-Pierre. Ma mère fait dire que tu peux rester à dîner!

SAVAIS-TU QUE...

Les joueurs de la LNH ont participé au tournoi des Jeux olympiques pour la première fois à Nagano, au Japon en 1998. La République Tchèque avait remporté la médaille d'or en battant la Russie, 1-0, en finale. La Finlande était montée sur la troisième marche du podium en disposant du Canada 3-2.

C'était aussi la première fois où le hockey féminin était présenté dans le cadre des Jeux olympiques. Les Américaines avaient battu les Canadiennes 3-1 en finale pour enlever l'or. Les Finlandaises avaient imité leurs compatriotes masculins en remportant la médaille de bronze grâce à un triomphe de 4-1 face à la Chine.

CHAPITRE 4

— Je pense sincèrement qu'on aura une bonne petite équipe, commente solennellement Martin Dupuis devant les parents et les joueurs réunis près du restaurant de l'aréna.

« C'est certain qu'on n'a pas le plus gros bassin de joueurs, mais on a des jeunes qui ont du talent et qui travaillent fort, ajoute-t-il. Avec mes adjoints Robert et Simon, je préparerai de bons entraînements et s'il y a

45

des papas qui veulent embarquer avec nous sur la patinoire lors des entraînements, on aura besoin de deux ou trois personnes de plus pour nous aider. Ceux qui sont intéressés, venez me voir après la réunion. Vous n'êtes pas nécessairement obligés d'avoir de grandes connaissances en hockey. »

Tristan regarde son père et tire sur la manche de son manteau en souriant. Sans dire un mot, Sylvain hoche à peine la tête. Sa réponse se veut négative.

L'entraîneur poursuit son discours :

— Je planifie de faire deux tournois et peut-être même un troisième, si on a la permission du hockey mineur. J'aimerais ça pouvoir en faire un à l'étranger, si je peux dire, pour parler comme les joueurs de la Ligue nationale! Avec mon plus vieux, il y a trois ou quatre ans, on avait participé à celui de Gatineau et tout le monde avait adoré ça. Ce n'est pas trop loin quand même. C'est à la fin du mois de janvier, il y a des clubs de l'Ontario, on peut aller patiner sur le canal Rideau à Ottawa et visiter la capitale. C'est un gros tournoi avec seize clubs dans le A, mais il y a aussi du BB, du CC, du B et du C. Si on décide d'y aller, ça va impliquer des frais pour les hôtels, le transport et les repas. Vous en parlerez entre vous cette semaine, mais il ne faut pas qu'on perde trop de temps, car les places partent très vite.

Incapable de se contenir, le turbulent Noah lève la main en sautillant sur place.

— Moi, je veux qu'on y aille, crie-t-il en se tournant vers Olivier sans attendre qu'on lui donne la parole. Tout le monde veut y aller. Il ne faut surtout pas attendre une semaine pour que les autres clubs s'inscrivent avant nous et qu'on perde notre place.

— Merci, Noah, rigole l'entraîneur. On en parlera tantôt quand on aura nommé la gérante... ou le gérant.

Mais le jeune garçon n'a visiblement pas terminé de parler. La main bien haute et les yeux pétillants, il brûle d'envie de poser une autre question. Amusé, Martin lui fait signe de s'exécuter.

— C'est où, Gatineau? Est-ce qu'on doit prendre l'avion pour aller là?

— Non, rétorque l'entraîneur en reprenant son sérieux. C'est environ à trois heures de route. Est-ce qu'il y a des parents qui auraient des questions?

— Quand prévoyez-vous nommer le capitaine? interroge la mère de Samuel.

— C'est une excellente question, ça, madame, répond Simon Aucoin, un des entraîneurs adjoints. On en a parlé, les *coachs* ensemble, et on a décidé qu'il n'y aurait pas de capitaine cette saison avec les Pumas. Le hockey mineur nous donne la permission de faire coudre des morceaux de velcro sur tous les chandails et on fera une rotation. Comme ça, chaque joueur sera capitaine au moins une fois et on fera la même chose pour les assistants.

Lorsqu'on sera en séries, on ira avec les plus méritants. Pour nous, poursuit-il, les plus méritants, ça veut dire les plus travaillants, les plus disciplinés, les meilleurs joueurs d'équipe.

— Est-ce normal qu'on n'ait seulement qu'un gardien? questionne à son tour le père de Frédéric.

— Une autre excellente question, réplique Martin. En ce moment, il y a trois gardiens avec l'atome CC. Il y a de grosses chances que celui de Saint-Boniface soit retranché, alors on a préféré n'en garder qu'un avec nous. Comme ça, ça nous évite de faire de la peine à un p'tit gars s'il y en a un meilleur qui arrive. Et si celui de Saint-Boniface reste dans le CC, on pigera dans le B.

— J'espère qu'il sera coupé, lance le père de Samuel. On serait pas mal plus forts avec un gardien qui est presque de calibre CC comparativement à un autre qui joue dans le B.

L'équation est aussi simple que logique. Personne n'ajoute rien à cette dernière intervention.

Comme il n'y a plus de questions pour l'instant, Martin propose aux parents de se présenter afin que tout le monde commence à faire connaissance. Quand Sylvain mentionne que Max Pacioretty est l'idole de son fils, Tristan rougit de honte. C'est le capitaine des Canadiens de Montréal dont il parle, un des meilleurs attaquants de la Ligue nationale. Il ne faudrait surtout pas que les parents des autres joueurs s'attendent à ce qu'il soit aussi bon que lui. Heureusement, il est le dernier à se présenter et on passe ensuite à la nomination de la gérante. Sans surprise, Sophie Larouche, la mère de Charles-Étienne Lambert, hérite de la fonction. Maman de trois autres hockeyeurs plus vieux, elle a maintes fois rempli ce rôle avec brio, et ce, presque à tous les niveaux. Déjà, elle suggère des idées pour mettre sur pied des levées de fonds afin de faire confectionner des chandails, des manteaux et des tuques aux couleurs des Pumas. Elle évoque même la possibilité de remettre un sac sport sur lequel serait brodé le logo de l'équipe avec le nom et le numéro de chaque joueur.

— As-tu entendu, p'pa... c'est

vraiment *hot*, jouer pour les Pumas, murmure Tristan à l'oreille de son père.

Même s'il le cache parfaitement, ce dernier est tout aussi emballé que son fils !

LES FRÈRES STASTNY

SAVAIS-TU QUE...

Il y a eu beaucoup de duos de frères assez célèbres dans la LNH. Parfois quelques trios aussi, comme les frères Stastny (Peter, Marian et Anton).

Mais savais-tu que dans les années 1980 et 1990, six frères originaires de la petite ville de Viking en Alberta ont atteint la LNH pour y jouer de façon régulière : Rich, Ron, Duane, Darryl, Brent et Brian Sutter.

Au total, les frères Sutter ont disputé 4 994 parties en saison régulière et ils présentent un rendement combiné de 2 934 points en carrière dans la LNH. Après leur carrière de joueur, seuls Rich et Ron n'ont jamais occupé un poste d'entraîneur-chef.

CHAPITRE 5

La semaine suivante, les Pumas disputent deux parties préparatoires. Le samedi midi, ils se font malmener face aux Éclairs de Saint-Tite qui les battent facilement 5 à 1. Le dimanche matin, ils accueillent les T-Rex de Bécancour qui les dévorent 8 à 3.

— Ce n'est pas grave, les *chums*, explique Martin Dupuis après cette deuxième défaite cinglante. On a plein de belles habiletés individuelles, mais on ne sait pas encore comment jouer en équipe. C'était seulement des parties hors-concours, il ne faut surtout pas se décourager. Je sais que le pointage est effrayant sauf que ça ne veut absolument rien dire.

«Hier, on a marqué un but. Aujourd'hui, on en a marqué trois. C'est déjà un pas dans la bonne direction! analyse l'entraîneur avec entrain. On a beaucoup de difficulté à sortir la rondelle de notre territoire, mais on va améliorer ça. Une chance que Jacob a fait de gros arrêts!»

Trois jours plus tard, une rumeur

circule dans la cour d'école et elle concerne les Pumas. C'est Vincent Gingras qui en est à l'origine, pas celui de deuxième année, celui qui est en cinquième, dans la classe de monsieur Larose. Il aurait dit à Philippe Tremblay que selon son père, qui est bénévole au hockey mineur, l'équipe pourrait enfin compter sur son nouveau gardien pour le prochain week-end… et il paraît que ça serait une fille. Si Gingras ne se trompe pas, il s'agirait de Daphnée Bédard. Elle a joué pour des clubs féminins jusqu'à la saison dernière, mais elle décidé de laisser tomber, car la compétition était trop faible, selon elle. Tous les gars de l'équipe la connaissent.

Sur l'heure du dîner, c'est la meilleure fille de la ligue de hockey cosom.

Et l'été, elle fait la pluie et le beau temps au baseball avec les garçons.

— Es-tu certain qu'elle ne joue plus avec les filles ? demande Xavier à Émile.

— Oui. Elle me l'a dit, il y a environ un mois.

— Je pensais qu'elle avait été choisie au BB, dit Fred.

— Elle a été la dernière retranchée, répond Émile, visiblement informé du dossier.

— Si elle a été la dernière retranchée au BB, pourquoi elle n'a pas été retenue au CC d'abord ? questionne Christophe.

— Je n'en ai aucune idée. On a

juste à lui demander, propose Émile à court de réponses.

— Je ne sais pas si elle est bonne au hockey, mais au baseball, elle torche, explique Tristan. Elle a déjà joué avec mon cousin Yohan et elle était meilleure que lui.

— Va lui demander, Tris, coupe Fred.

— Pourquoi moi?

— Parce que tu es le plus jeune de l'équipe! Tu as juste neuf ans! répond prestement Xavier.

— Je vais y aller. Pas parce que je suis le plus jeune, mais parce que je veux savoir si c'est elle notre *goaler*, lance Tristan. En plus, ça ne me dérange pas du tout d'aller lui demander. On était dans la même classe l'an passé, c'est mon amie, mentionne-t-il avec confiance.

Il tourne les talons pour se diriger vers un intimidant regroupement de filles situé devant la barre du ballon rotatif.

Les nouvelles circulent drôlement vite en Mauricie et c'est encore plus vrai dans une petite municipalité comme celle de Saint-Boniface.

Daphnée Bédard a effectivement été retranchée de l'équipe atome CC, la veille au soir, après l'entraînement du club, vers vingt heures. L'entraîneur des Lynx de Shawinigan a longtemps hésité, mais comme elle ne possédait aucune expérience avec les garçons, il a préféré faire confiance à un gardien de Grand-Mère, David Flageol, qui est aussi plus vieux qu'elle d'un an. Il a toutefois promis à la jeune fille qu'il n'hésiterait aucunement à faire appel à ses services si jamais un de ses deux gardiens réguliers devait s'absenter plus tard pendant la saison.

— Gingras avait raison, Daphnée m'a dit qu'elle va jouer avec nous, lance Tristan en arborant un éclatant sourire. Elle sera à l'entraînement vendredi soir!

— C'est poche, ça, notre deuxième *goaler*, c'est une fille, commente Christophe. Ça veut dire qu'une fois sur deux on va avoir moins de chances de gagner.

— Exact. Pis en plus, on sera obligés de toujours être fin avec elle, sinon elle va sûrement aller brailler au *coach*, poursuit Xavier. J'ai déjà assez de supporter mes deux sœurs à la maison, maintenant il va falloir que j'endure une fille dans mon équipe de hockey. Ça, ce n'est pas une bonne nouvelle.

— Pis je gage que, pendant les pratiques, on ne pourra même pas faire des lancers frappés pour ne pas lui faire mal, renchérit Christophe.

— Ça, ce n'est pas grave! Tu n'es même pas capable de faire des *slap shots*, lance Émile en riant aux éclats. Tu passes dans le beurre chaque fois que tu essaies de *slapper*!

— Pffft, tu dis n'importe quoi. C'est moi qui *slappe* le plus fort dans toute la ligue, se défend Christophe, toujours assez enclin à se vanter. L'année passée, j'ai même failli compter un but en lançant de la ligne rouge. La rondelle est passée juste à côté du but et elle s'en allait direct *top net*. Elle arrivait tellement vite que le gardien ne l'a jamais vue venir, explique-t-il en mimant le geste.

Le bruit de la cloche signalant la fin de la récréation interrompt la conversation... ce qui lui sauve in extremis de devoir fournir des explications supplémentaires à ses amis qui le dévisageaient avec beaucoup de scepticisme!

GUY LAFLEUR

SAVAIS-TU QUE...

Gordie Howe, Guy Lafleur et Mario Lemieux ont tous un très rare point en commun.

Après leur retraite, ils ont tous été admis au Temple de la Renommée du hockey... et ensuite effectué un retour au jeu dans la LNH, quelques années plus tard.

CHAPITRE 6

Au bout de quelques jours seulement, la venue de Daphnée n'est plus un élément de discussion pour les autres joueurs des Pumas. Ils ont vite constaté que derrière le visage angélique de cette petite gardienne aux cheveux blonds bouclés se cache un redoutable cerbère. Toujours heureuse et souriante en dehors de la patinoire, elle change totalement d'attitude quand elle endosse son armure. À l'instant où elle abaisse son masque, son regard devient perçant et laisse deviner qu'elle ne fera pas de cadeau à personne.

Techniquement très solide pour son âge, Daphnée joue de façon agressive devant son filet tout en se déplaçant avec beaucoup d'agilité. Ses réflexes de chat lui permettent à l'occasion de réussir des arrêts tout simplement spectaculaires. Jacob et elle devraient former un duo du tonnerre. L'entraîneur a déjà expliqué qu'ils se retrouveront devant le filet en alternance.

Pas tellement entiché à l'idée de voir une fille dans son équipe, Christophe a quand même pris sa défense. C'était lors de la deuxième partie de la saison. Alors que les Pumas menaient 4 à 2 face aux Gladiateurs de La Tuque, un attaquant de l'équipe rivale a décoché un faible lancer que la gardienne a facilement saisi en se laissant tomber sur la glace. Tandis que Daphnée allait se relever, un autre joueur des Gladiateurs est arrivé en trombe pour venir freiner à seulement quelques centimètres d'elle et ainsi lui projeter plein de neige au visage. L'arbitre n'a même pas eu le temps de lever son bras pour lui décerner une punition pour manque d'esprit sportif que Christophe, tel un véritable redresseur de torts, se ruait sur le joueur des Gladiateurs pour le pousser.

— Tu n'as pas le droit de faire ça à notre *goaleuse*. Si tu recommences, nous autres aussi on ira freiner dans la face de votre gardien, crie-t-il bravement alors que Xavier, Noah et Jérémy s'amènent en renfort.

— Ouais, et si on se fâche, on commencera à vous plaquer, menace ensuite Tristan qui rejoint le groupe.

— Je n'ai même pas fait ça volontairement, plaide le jeune adversaire en faisant la moue.

— Penses-tu qu'on te croit? dit Christophe en le dévisageant.

— C'est beau, les jeunes! La chicane est finie, lance l'officiel en séparant tout le monde. Toi, tu t'en viens avec moi, dit-il en pointant du doigt le porte-couleur de La Tuque. Toi aussi, tu as une punition, ajoute-t-il en regardant Christophe.

«Pis je t'ai entendu, toi, ajoute-t-il en regardant sévèrement Tristan. Vous n'avez pas le droit de donner des mises en échec. Si j'en vois un qui ne respecte pas les règles, il ira réfléchir comme eux.»

— C'est lui qui a commencé, se permet Tristan en haussant les épaules. Pourquoi on a une punition?

— Vous aviez juste à ne pas répliquer, répond sèchement l'homme avant de se retourner pour aller escorter les deux joueurs fautifs vers le banc des punitions.

Un peu en retrait, Daphnée a fini d'essuyer son visage. Elle replace ses cheveux, met son masque puis enfile son gant et son bloqueur pour ensuite saisir son bâton qu'elle avait déposé sur le filet. Elle n'aura plus à effectuer le moindre arrêt. Les Pumas passent les trois minutes qui restent à écouler à la joute dans la zone adverse. Saint-Boniface l'emporte 4 à 2 et signe ainsi son premier triomphe de la saison.

Après le match, sur le chemin du retour, Tristan n'est pas très enjoué pour un jeune homme qui vient de gagner la première partie de sa carrière. Il boit son chocolat chaud sans dire un mot.

— Tu n'as pas l'air content ? risque son père.

— C'est correct.

— Qu'est-ce que tu as ? insiste-t-il.

Es-tu triste parce que tu as failli marquer un but au début de la partie? Je te dis qu'il ne manquait pas grand-chose. Tu avais complètement déjoué le gardien avec ta feinte, mais tu as tiré juste un petit peu trop haut. C'est pour ça que tu bougonnes?

— Non, ce n'est pas ça. C'est plus compliqué.

— C'est parce que maman n'est pas encore venue te voir jouer?

— Elle n'est jamais venue à mes *games* et elle ne viendra jamais. Ça ne me dérange pas si elle reste à la maison. Ce n'est pas grave si elle haït ça, le hockey.

— Alors, veux-tu me dire pourquoi

tu as un air de bœuf? questionne Sylvain sur un ton sec.

— Tu n'as pas entendu ce que Martin a dit après la partie? Il a mentionné que les parents n'auraient plus le droit de venir dans le vestiaire après Noël. Je vais faire quoi, moi? Je suis le seul dans l'équipe qui n'est pas encore capable d'attacher ses patins sans aide. Je vais avoir l'air d'un beau bébé s'il faut que je demande au *coach* de m'aider. Les autres vont rire de moi.

— Noël, c'est seulement dans deux mois. Tu vas avoir amplement de temps pour te pratiquer et y arriver. Je suis certain que tu vas être capable d'ici là. Et à part de ça, je suis persuadé qu'il n'y a personne qui oserait rire de toi dans ton club.

— Tu penses!? Noah et Charles-Étienne n'arrêtent pas d'écœurer tout le monde et les *coachs* ne disent rien. Je commence à en avoir assez. Si jamais il y en a un qui m'insulte, je vais me battre avec.

— Voyons! C'est quoi, cette attitude-là, Tristan Labelle? Que je te vois te battre et je vais te débarquer du hockey, mon gars. Ce n'est pas comme ça qu'on règle les problèmes dans la vie. Il suffit d'en parler à Martin et il les avertira d'arrêter. Ce n'est pas à toi de régler ça, et surtout pas avec la violence, précise le père de famille en haussant le ton pour se faire bien entendre.

— Xavier leur a dit, mais ils n'ont rien fait. Martin leur a juste demandé

77

d'arrêter, mais ça n'a rien changé. Ils écœurent encore tout le monde... et Samuel n'arrête pas de se vanter. Lui aussi, il me tape sur les nerfs, explique Tristan en serrant les dents. Si je ne suis pas capable d'attacher mes patins, tout le monde se moquera de moi.

— Tu n'es sûrement pas le seul joueur dans le club qui se fait encore aider par son père ou sa mère, coupe Sylvain pour essayer de remonter le moral à son fils.

— En tout cas, je suis sûrement le seul qui ne se fait jamais aider par sa mère... c'est normal, elle déteste ça, le hockey.

Cette fois, Sylvain décide de ne rien ajouter. Visiblement, Tristan file un mauvais coton et il n'est pas totalement convaincu que c'est parce qu'il devra se débrouiller tout seul pour attacher ses patins ni parce que certains de ses coéquipiers se montrent parfois un peu taquins.

SAVAIS-TU QUE...

En Amérique, la dimension d'une patinoire régulière est de 200 pieds (61 mètres) de longueur par 85 pieds (25,9 mètres) de largeur.

Que l'on se trouve à Saint-Boniface ou dans un amphithéâtre de la LNH, on joue donc sur des glaces de même dimension.

En Europe, sur ce que l'on appelle une surface internationale, c'est la même longueur mais la largeur est plutôt de 100 pieds (30,5 mètres).

CHAPITRE 7

Deux semaines plus tard, c'est toute l'équipe qui a le moral dans les talons. Le samedi après-midi, les Pumas se font lessiver par le T-Rex de Bécancour. Au milieu de la troisième période, c'est 8 à 3. Malgré le pointage élevé, dans les gradins, les parents du club adverse chantent et célèbrent chaque but des leurs, ce qui mine encore plus l'ambiance sur le banc du club visiteur.

— Ce soir, j'espère que le Canadien jouera mieux que nous, murmure Charles-Étienne à Xavier, son partenaire à la ligne bleue.

— Tu devrais venir écouter la partie chez nous, suggère son coéquipier. Tu pourrais rester à coucher, si tes parents veulent.

— Heille, les deux mémères, vous devriez vous concentrer sur notre *game* au lieu de penser au Canadien, intervient Simon Aucoin, l'entraîneur des défenseurs. C'est à votre tour de changer. *Let's go*, ce n'est pas fini. On ne sait jamais ! Soyez intenses. On sort la rondelle de la zone quand on ne sait pas quoi faire avec… et jamais par le centre.

À l'autre bout du banc, les attaquants ne sont pas plus attentifs à ce qui se déroule sur la patinoire. Noah semble plus intéressé par ce qui se passe dans les estrades.

— Franchement, ma sœur a une *slush*, dit-il à Frédéric.

— Qu'est-ce que ça fait? On s'en fout de ta sœur et de sa sapristi de *slush*, on se fait défoncer par Bécancour.

— Ma mère n'a même pas voulu m'en acheter une tantôt quand on est arrivés à l'aréna. Si elle en paye une à ma sœur, il faudra qu'elle m'en paye une aussi, plaide Noah.

— Moi, ma grand-mère m'a donné quatre piastres ce matin. Je vais m'acheter une *slush* à la framboise bleue après la *game*, dit Jonathan qui s'invite dans la conversation.

— Vous n'êtes pas chanceux, renchérit Samuel. Moi, j'ai du *cash* à toutes les *games*.

— Comment ça? demande Noah.

— Mon père me donne deux piastres par but. Juste aujourd'hui, j'ai fait six piastres avec mon tour du chapeau. Et il reste encore cinq minutes avant la fin.

— Moi, quand même j'aurais dix piastres par but, ça ne changerait rien parce que je suis pourri, soupire Jérémy. Je n'ai pas un seul but cette année.

— Ce n'est pas grave, Jé, dit Noah. Au moins, tu fais plein de passes!

Quand la sirène retentit, le tableau indicateur affiche un pointage final de 9 à 3 en faveur de l'équipe locale. Les jeunes représentants de Saint-Boniface montrent maintenant un désolant dossier d'un gain et cinq revers. Avant que tout le monde retourne à la maison, Martin Dupuis convoque une réunion avec les joueurs et les parents, dans le stationnement de l'aréna.

— Je ne vous retiendrai pas longtemps, il y a des petites affaires que je vois et que je n'aime pas, dit-il en bougeant les bras pour que tout le monde s'approche de lui.

« On aurait pu faire la réunion avant

ou après le prochain entraînement, mais selon moi, c'est important que ça ne traîne pas quand il y a du négatif. Ce n'est rien de grave, précise-t-il. La fiche d'une victoire et cinq défaites, ce n'est pas une chose qui me dérange une seule seconde. Par contre, je n'aime pas la façon dont on joue. Je m'adresse à vous, les gars... et à la fille! On se décourage trop vite, on ne joue pas en équipe et on n'est pas du tout concentrés. Aujourd'hui, pendant la *game*, sur le banc, c'était plus important de parler de vos activités que d'encourager et de regarder ce qui se passait sur la patinoire. Ce n'est pas parce qu'on est un club atome A qu'on ne peut pas être plus intenses», explique-t-il calmement.

— Martin a raison, commente Simon, un des adjoints. C'est peut-être un détail pour vous, mais c'est vrai ce qu'il dit. Pensez-vous que, pendant les parties du Canadien, Alex Galchenyuk et Brendan Gallagher parlent de ce qu'ils vont manger pour souper? Et les parents, je sais que ce n'est pas agréable de voir vos enfants perdre 9 à 3, mais ce n'est pas une raison pour ne pas les encourager dans les estrades. On entendait juste le monde de Bécancour tantôt.

— Tout à fait, s'exclame Martin. Ça part des estrades, l'esprit positif... parce que si vous autres, leurs propres parents, vous ne les encouragez pas, dites-moi donc qui va le faire? Parlant des parents, on a su que certains pères payent leur fils quand il fait des buts. C'est quoi, cette histoire-là? Ça va à l'encontre de tout ce qu'on essaie de mettre de l'avant, on travaille pour prioriser l'équipe et non les individus. J'aimerais beaucoup ne plus avoir d'affaires de même s'il vous plaît. Est-ce que tout le monde est d'accord avec ça, plus tout ce qu'on a dit?

Tous les enfants crient oui à l'unisson, même Samuel, qui n'ose toutefois pas regarder vers ses parents.

— Tous ceux qui le désirent sont invités chez nous ce soir, les joueurs et les parents avec les frères et les sœurs, interrompt Robert Lalonde, l'autre assistant-entraîneur. Arrivez vers dix-huit heures, on va commander de la pizza et regarder la partie du Canadien à la télé. Les jeunes, apportez vos bâtons de minihockey, on organisera un tournoi dans le garage. Ça, ça va aider pour notre esprit d'équipe. Avant de partir, juste à donner vos noms à Chantal et dire combien vous serez pour qu'on planifie la commande de pizzas. On divisera le montant de la facture. Ceux qui ne peuvent pas venir pour souper peuvent aussi arriver plus tard!

— Wow, toute l'équipe va venir chez nous, dit Olivier avec un sourire ébahi qui ne peut cacher son étonnement. C'est vraiment *cool*, ça… mais est-ce que maman est au courant?

— Non, mais elle le sera bientôt, répond le jovial entraîneur adjoint le plus sérieusement du monde, ce qui provoque du coup un éclat de rire général.

SAVAIS-TU QUE...

Le 2 mars 1969, Phil Esposito des Bruins de Boston est devenu le tout premier joueur de l'histoire à atteindre le plateau des 100 points en une saison dans la LNH.

Bobby Hull des Blackhawks de Chicago et Gordie Howe des Red Wings de Détroit ont aussi réalisé cet exploit avant la fin de la même saison.

CHAPITRE 8

L'hiver arrive vite cette année en Mauricie. Le 10 décembre, la patinoire municipale de Saint-Boniface est déjà prête à accueillir ses premiers patineurs.

C'est un samedi matin beaucoup plus frisquet que la normale. Le vent qui souffle sur la glace brillante laisse deviner que la journée ne se réchauffera pas tellement. Tristan et ses amis auront l'honneur de donner les premiers coups de patin de la saison. Ils sont arrivés tôt. Très tôt même. Au moins deux heures avant que les plus vieux s'amènent, qu'ils commencent à imposer leurs règlements et qu'ils prennent toute la place, comme s'ils étaient les chefs de l'endroit.

La veille, Charles-Étienne s'y est rendu pour vérifier la glace avec deux de ses frères, Thomas, douze ans, et Guillaume, quinze ans. Monsieur Thibodeau, qui venait de terminer sa deuxième séance d'arrosage, leur a confirmé en souriant que la glace était presque parfaite.

— Elle n'est pas encore à mon goût, mais on est prêts pour l'inauguration, les p'tits gars! J'espère seulement qu'on n'aura pas de redoux d'ici Noël comme l'année passée.

— Mais il n'y a même pas de buts ! fait remarquer Guillaume.

— Ils sont dans le coin là-bas, sur le bord du mur, répond l'homme en soulevant le bras pour pointer en direction de l'hôtel de ville. Je ne peux pas les embarquer tout de suite sur la glace. Il faut que ça gèle bien comme il faut avant. Ne vous inquiétez pas, je vais les placer avant de partir. Demain matin, la cabane ouvrira à dix heures et tout sera prêt pour vous accueillir.

Dix minutes plus tard, en rentrant à la maison, le plus jeune des frères Lambert saute sur le téléphone pour aviser le plus de joueurs possible.

— Vois-tu, maman, tout le travail que tu me donnes ? demande le garçon. À dix ans, ce n'est pas normal que je n'aie pas le droit d'avoir de compte Facebook. Au lieu de juste écrire que la patinoire est prête et qu'on se rejoint là demain, je suis obligé de téléphoner à tout le monde.

— Pourquoi reviens-tu là-dessus ? réplique sa mère Sophie. Tes frères se sont inscrits en arrivant au secondaire et ça ne sera pas différent pour toi.

— Ça devrait être différent parce que c'est plus comme ça que ça marche maintenant, insiste Charles-Étienne. Dans leur temps, c'était peut-être comme ça, mais aujourd'hui, tous les gars de mon âge sont sur Facebook. Tu n'es vraiment pas *cool*, maman.

— Dans ce cas-là, mon bel amour, demande à un de tes amis qui a une mère *cool* de faire le message à ta place. Si tout le monde a une mère *cool* dans ton équipe et qu'ils sont tous sur Facebook, le message se passera et tu seras le seul à ne pas le voir… mais ce n'est pas grave parce que c'est toi qui organises la *game*.

— Ne m'appelle pas mon bel amour, je te l'ai déjà dit, se contente de répliquer Charles-Étienne.

Il quitte la pièce avec le téléphone et son petit carnet de numéros pour continuer de faire le tour de ses coéquipiers, loin des regards indiscrets.

Assis sur le sol gelé, adossé contre la vieille rampe en bois, pas trop loin de la porte, Tristan attache ses patins. En fait, pour dire vrai, il essaie de les attacher. Son père travaille ce matin. Il est venu avec Simon-Pierre, le seul intrus parmi les joueurs des Pumas, à l'exception des deux frères Lambert. La mère de son meilleur ami les a déposés à la patinoire en promettant de repasser les voir avant dîner.

Tristan a beau tirer le lacet de toutes ses forces, il sent sa cheville gauche encore bien libre dans son patin alors qu'habituellement, son pied est fermement emprisonné dans la bottine, des orteils jusqu'au milieu de la cheville. Derrière lui, il entend déjà résonner les rondelles, ce qui le fait rager. Il n'y a que Jacob et lui qui ne sont pas encore prêts. Même s'il a enroulé les bouts du lacet dans chacune de ses mains et qu'il a tiré jusqu'en avoir mal aux doigts, le résultat n'est guère mieux avec le patin droit.

Ça ne doit pourtant pas être si sorcier que ça. Comment se fait-il que tous les autres soient capables de s'en sortir convenablement et pas lui ? Frustré, il fouille dans le fond de son sac avec ses mains gelées. En poussant un grand soupir, il saisit la roulette de ruban transparent qu'il cherchait. Peu convaincu que quelques tours à la hauteur des chevilles vont raffermir la botte de ses patins, Tristan tourne et tourne avec le ruban qu'il étire au maximum. Au pire, se dit-il, il épuisera toute la roulette s'il le faut. Au bout de quelques minutes, il n'a d'autres choix que de se résigner. Il se lève, enfile son chandail numéro 67 du Canadien, met son casque par-dessus sa tuque et va rejoindre le reste du groupe.

Il n'éprouve certainement pas la même sensation que lorsque son père attache ses patins, mais un seul tour de patinoire le réconforte grandement. Il est peut-être moins confortable, toutefois il ne se sent pas plus lent ou moins habile quand vient le temps d'effectuer un pivot ou de freiner.

— Tris, tu es avec mon frère Charly, Simon et Noah, crie Guillaume en l'invitant à rejoindre le groupe au centre de la glace.

— Pantoute, réplique Charles-Étienne. En plus, ce n'est pas toi qui vas décider des équipes. C'est un match des Pumas.

— Ce n'est pas la patinoire des petits Pumas. C'est la patinoire de Saint-Boniface et c'est moi le plus vieux ici, répond le grand frère de quinze ans. J'ai divisé les clubs pour ne pas faire de chicane et il y a juste toi qui chiales. C'est égal et, si ça ne marche pas, on fera de nouvelles équipes tantôt, après la première *game*.

— Ouais, mais on n'a même pas de *goaler*, nous autres, argumente le plus jeune de la famille Lambert. Vous autres, vous avez Jacob. Ce n'est pas juste.

— Justement, tu devrais être content parce que c'est ben plus *fun scorer* contre un *goaler* que dans un but pas de *goaler*.

— Peut-être... mais on n'aura pas de chances de gagner. C'est impossible de vous battre si on n'a pas de *goaler*, argumente Charles-Étienne.

— D'abord, tu as juste à *goaler*, Charly. Ou sinon, Jacob peut changer de côté après chaque *game*. On a juste à faire des parties de cinq points.

— Ou à moins qu'on fasse un concours de tirs de barrage ? suggère Thomas qui intervient entre ses deux frères. On n'est pas obligés de jouer une partie.

— Oui, ça, c'est une bonne idée, commente Noah. C'est le fun, ça, et en plus, ça pratique nos feintes !

— Pas besoin. Il y a mon *chum* Tremblay qui arrive là-bas pis y vient jouer en bottes. Il va *goaler* pour nous d'abord. Vous autres, les p'tits bébés, vous aurez un vrai *goaler*. Jacob, tu viens d'être échangé à l'équipe de ma petite sœur braillarde.

Comme Guillaume termine sa phrase et s'apprête à saluer son copain qui arrive, Charles-Étienne laisse tomber son bâton et ses gants et se rue sur son frère pour se battre avec lui.

— Oh, la petite fille est fâchée, rigole Guillaume en esquivant un coup.

— Je vais le dire à maman, menace le plus jeune, facilement maitrisé par l'adolescent de quinze ans.

— Ben oui, et moi, je vais lui dire que tu as voulu te battre avec moi! rigole le plus vieux. Qui penses-tu qui va se faire chicaner? Sûrement pas moi!

— OK, c'est beau, lâche-moi, là, conclut le plus jeune en se libérant de l'emprise de son frère.

Enfant unique, Tristan regarde la scène en se disant que ce n'est peut-être pas aussi dramatique qu'il pensait de ne pas avoir de frères ou de sœurs.

Après cette brève dispute, le match débute finalement. Il est huit heures vingt. Le joyeux groupe aura presque deux heures pour jouer avant que monsieur Thibodeau ouvre enfin la cabane. Ceux qui savent que la patinoire est déjà prête se pointeront peut-être à ce moment. Mais ils ne devraient pas être tellement nombreux aujourd'hui. Avec un peu de chance, ils auront l'endroit pour eux seuls toute la journée!

C'est la première d'une très longue série de parties sur la patinoire de Saint-Boniface. Pendant tout le reste de l'hiver, chaque joute se décidera en période de prolongation, lors de la septième rencontre de la finale de la Coupe Stanley. Pour les deux prochains mois, peut-être même plus avec un peu de chance, quand ils chausseront leurs patins dehors, ils ne seront plus Charles-Étienne Lambert, Jacob Dupuis et Tristan Labelle, mais plutôt Sidney Crosby, Carey Price et Max Pacioretty.

GORDIE HOWE

SAVAIS-TU QUE...

Au cours de sa carrière, Gordie Howe, surnommé Monsieur Hockey, a réalisé un exploit qui ne sera jamais surpassé en terminant dans le top 5 des meilleurs marqueurs de la LNH pendant 20 saisons de suite.

Cette incroyable séquence a débuté en 1949-1950 alors qu'il avait 21 ans et elle s'est terminée en 1968-1969. La saison suivante, malgré une récolte de 71 points, il a terminé au 9e rang des marqueurs.

CHAPITRE 9

Même si personne ne se préoccupe du classement, le week-end avant Noël remonte le moral de tout le monde dans le vestiaire des Pumas. Contre toute attente, l'équipe signe deux victoires de suite pour la première fois de la saison. Le vendredi soir, les jeunes joueurs atome de Saint-Boniface battent les Gladiateurs de La Tuque 6 à 4 sur leur propre territoire. Le dimanche en fin de matinée, ils reviennent à la charge avec un gain de 5 à 3 face aux Comètes de Grand-Mère. Lors de ce dernier match, alors que les visiteurs ont retiré leur gardien au profit d'un attaquant supplémentaire, Tristan vient à quelques centimètres d'enfin réussir son premier but en carrière. Quand il entre au banc, il a les yeux pleins d'eau.

— Ce n'est pas grave, Tristan, lui lance l'adjoint Robert Lalonde en donnant une taloche amicale sur son casque. On va gagner quand même, mon *chum*! Et en plus, ton premier but, tu vas t'en souvenir toute ta vie, alors tu ne veux surtout pas *scorer* dans un filet désert.

Ces deux triomphes ont énormément réjoui l'entraîneur-chef, Martin Dupuis. Surtout que son club vient de gagner deux parties sans Samuel, le meilleur marqueur des Pumas. Son absence avait laissé perplexes autant Dupuis et ses adjoints que la plupart des autres joueurs. Toute l'équipe aurait bien aimé compter sur lui pour la fin de semaine.

Au début de la saison, Dominic Breton avait refusé que son fils devienne réserviste avec le pee-wee A de Saint-Boniface. Il a changé son fusil d'épaule quand Samuel a été approché pour aller prêter main-forte à la formation atome CC, au début du mois de décembre, lorsqu'un de leurs joueurs s'est blessé à une main en faisant du *long board*.

En théorie, Samuel aurait dû prioriser les activités des Pumas et refuser de manquer une partie de son club pour aller remplacer comme ce fut le cas ce week-end. Sauf que devant l'insistance de monsieur Breton, qui voulait grandement voir son fils participer au tournoi atome de Joliette avec l'équipe CC, le *coach* Dupuis l'a autorisé à partir. Tant qu'à voir le père et le fils bougonner, il a préféré se passer de son meilleur joueur. Ces deux belles victoires lui procurent donc une petite satisfaction supplémentaire.

Dans le vestiaire, c'est la fête. À l'exception de Daphnée qui se déshabille en solitaire dans un petit local, tous les joueurs chantent et dansent en retirant leur équipement. Même Jérémy, habituellement plus timide, se donne en spectacle en utilisant le manche de son bâton comme micro pour faire du *lipsync*. Dix minutes plus tard, la gardienne vient rejoindre le reste de la bande. Elle arrive au même moment que le père de Xavier. Il la regarde en pointant son index sur sa bouche, signe qu'elle doit garder le secret sur ce qui se prépare.

— Deux grosses victoires de suite, c'est fantastique, ça, s'écrie-t-il presque de toutes ses forces en entrant dans le vestiaire.

«Ça ne sera peut-être pas de même chaque fois, mais j'ai décidé qu'on allait célébrer ça, ajoute-t-il en se tournant vers la porte. Martin nous a donné la permission, alors le père de Jonathan et moi, on vous paye la *slush*, dit-il alors que Rémi Lachance fait irruption avec un immense plateau rempli de boissons de toutes les couleurs. Assoyez-vous à vos places, Rémi va faire le tour!»

Une dizaine de minutes plus tard, les cheveux tout mouillés et les pommettes encore rouges après tant d'efforts, Tristan sirote en silence les dernières gorgées de sa *slush*. Sa tuque du Canadien bien enfoncée sur la tête, il regarde par la fenêtre en soufflant l'air chaud de sa bouche pour faire de la buée. Pour lui, la fête est terminée.

— Tu as l'air dans la lune, mon homme, interroge son père Sylvain, en quittant momentanément la route des yeux.

— Non, se contente de répondre sèchement Tristan.

— Ouf, tu n'as pas l'air de bonne humeur.

— Non. Je suis vraiment tanné, là, dit-il la voix pleine de rage. Maman n'arrête pas de dire qu'elle m'aime, mais elle ne vient jamais voir mes *games*. Il manque toujours juste elle. Elle s'en fout de moi. Je sais qu'elle aurait aimé mieux avoir une fille pour faire des affaires de filles avec elle.

— Ne dis pas ça, Tris. Maman travaille fort toute la semaine alors elle se repose le week-end pour être en forme. C'est certain qu'elle t'aime plus que tout. Je ne veux plus jamais que tu dises ça, ordonne-t-il doucement.

— En tout cas, je te jure que si vous vous séparez, je vais aller vivre avec toi. Toi, au moins, tu ne te fous pas de moi.

— Premièrement, on ne va pas se séparer. Ta mère et moi, on s'aime. Et deuxièmement, je viens juste de te dire que ta mère ne se fout pas de toi, réplique-t-il, cette fois sur un ton clairement plus autoritaire.

«Maman va toujours à tes réunions à l'école, elle t'aide avec tes devoirs, elle fait du *roller-blade* avec toi… continue son père. Je ne sais pas, moi, elle fait plein d'autres affaires avec toi. C'est du hockey qu'elle se fout, pas de toi. Si on avait une fille, penses-tu que j'aurais le goût, moi, d'aller à ses compétitions de ballet, de patinage artistique ou autres affaires du genre? Non, je n'irais pas. Je laisserais ça à ta mère parce que je sais que ça lui ferait plaisir. Je t'interdis de dire que ta mère se fout de toi. »

— En tout cas, moi, plus tard, contrairement à toi, je vais me trouver une femme qui aime le hockey.

BOBBY ORR

SAVAIS-TU QUE...

Lors de la saison 1970-1971, le défenseur Bobby Orr des Bruins de Boston a réalisé un record qui ne sera sans doute jamais battu.

Fort d'une récolte de 37 buts et 102 passes pour 139 points en 78 parties, Orr avait présenté un différentiel de +124.

En 1976-1977, le défenseur Larry Robinson du Canadien s'est approché de cette marque avec un différentiel de +120. Ils sont les deux seuls joueurs de l'histoire à avoir connu une saison supérieure à +100.

CHAPITRE 10

De retour à la maison, Tristan téléphone à Simon-Pierre qui s'empresse de venir le rejoindre en courant pour jouer au Xbox dans le sous-sol. Même s'il avait voulu bouder sa mère ou lui faire un tantinet d'attitude, Sonia n'était même pas là à son arrivée. Elle complète ses achats de cadeaux pour Noël. Il se dit qu'il se reprendra au souper, mais le temps fait son œuvre et sa colère se dissipe.

À son retour, à la fin de l'après-midi, quand sa mère descend tout enjouée pour le serrer dans ses bras, il se sent mal d'avoir pu penser qu'elle ne l'aimait pas. Il regrette d'avoir dit qu'elle se foutait de lui. Dans le fond, son père a probablement raison.

Qu'à cela ne tienne, quand il aura une blonde, elle devra obligatoirement aimer le hockey. Si elle pouvait se débrouiller au Xbox, ça serait un sacré beau bonus !

— Sais-tu si Daphnée est bonne au Xbox ? demande-t-il à Simon-Pierre, sans cesser de jouer.

— Aucune idée. Pourquoi tu veux savoir ça ? Veux-tu sortir avec ?

— Es-tu malade ? Jamais de la vie !

Sylvain a peut-être effectivement raison. N'empêche qu'à ses yeux, la situation devient de plus en plus problématique. Comme son fils, il trouve lui aussi très curieux de voir son épouse ainsi s'acharner à détester obstinément le plus beau sport au monde. Elle n'est pas la seule personne au pays à détester le hockey, mais elle devrait comprendre toute la peine qu'elle inflige à Tristan.

Quand fiston est au lit, il n'a d'autre choix que d'aborder le sujet avec sa femme, le plus délicatement possible.

Il rejoint Sonia sur le sofa en espérant trouver les bons mots pour la faire changer d'avis.

— Tu as manqué une mautadine de belle *game* ce matin. Tris a même failli compter un but !

— Je sais, réplique Sonia sans cesser de regarder la télé. Tristan m'a dit que le gardien avait fait tout un arrêt pour stopper son tir. Il m'a même dit que c'était le plus bel arrêt de toute la partie !

— Ouin, tout un arrêt, répond tristement Sylvain qui sait très que son fils a menti.

«C'était vraiment génial aujourd'hui, poursuit-il. Ç'a été serré jusqu'à la fin !

Ça leur fait deux victoires de suite. Et sans le p'tit fendant à Samuel Breton, en plus. Lui et son gros imbécile de père ont décidé de ne pas venir en fin de semaine parce que l'atome CC avait besoin de lui. Il n'était pas là vendredi et même chose ce matin. Eh bien, on a gagné sans lui, même si c'est notre meilleur joueur. Son père va peut-être arrêter de regarder tout le monde de haut. Ce n'est quand même pas Jonathan Toews, son beau p'tit Samuel. Et sa mère n'est pas mieux, il n'y a personne qui est capable de la sentir. »

— T'entends-tu parler, Sylvain Labelle? réplique Sonia en haussant soudainement le ton. Tu parles d'un p'tit gars de neuf ou dix ans en le traitant de p'tit fendant.

— Arrête, So. Je ne suis pas le seul à penser comme ça. Il n'y a pas un chat dans l'équipe qui trouve ça correct, la façon dont son père agit. C'est un prétentieux, ce bonhomme-là… et son jeune est pareil comme lui. Il se pense meilleur que tout le monde. S'il était si *hot*, il ne jouerait sûrement pas dans le A. Je te dis, dans un an, maximum deux, Tristan sera aussi bon que lui, peut-être même meilleur.

— Tu veux savoir pourquoi je hais ça, le hockey? Ne cherche pas plus longtemps, Sylvain, tu viens d'avoir ta réponse. C'est un jeu, juste un jeu et les parents virent fous à cause de ce sport-là. Tu parles d'un p'tit gars qui veut juste avoir du *fun*, et toi, tu le juges et tu le traites de fendant. Et, son père, c'est peut-être vrai que c'est un gros pas bon, poursuit-elle, mais vous n'êtes pas mieux que lui dans le fond. T'es-tu entendu dire que Tristan finira par être meilleur que l'autre jeune? On s'en fout de savoir qui est ou qui sera le meilleur. Crois-tu que notre fils s'est inscrit au hockey avec l'intention de devenir meilleur que Samuel Chose?

— Calme-toi, chérie.

— Non, je ne me calme pas! Mon père n'a pas arrêté d'écœurer mon frère Ugo à cause du hockey. Il pensait qu'il allait jouer dans la Ligue nationale parce qu'à huit ou neuf ans il était le meilleur joueur au Lac-Saint-Jean. Ugo, lui, voulait juste jouer pour le plaisir.

« Moi, vu que j'étais plus jeune, j'étais obligée de les suivre dans les arénas parce que je ne pouvais pas rester à la maison toute seule, enchaîne-t-elle sans prendre son souffle. J'étais assise dans les estrades, et tout ce que j'entendais, c'était des parents de notre propre équipe qui criaient après Ugo. "Envoie, arrête de te trainer les pieds, Émond. Passe la rondelle. Force-toi un peu." Après, c'était encore pire dans l'auto. Mon père chialait constamment après mon frère et ils se chicanaient sans arrêt. »

— Pourquoi tu ne m'as jamais dit ça avant?

— Ç'aurait changé quoi? Mon père est mort et Ugo a lâché le hockey à cause de lui, à quinze ans. Il n'y a pas une journée où j'allais à l'aréna et que c'était plaisant. Il y avait toujours quelqu'un pour dire des choses méchantes sur les *coachs*, les joueurs, les arbitres, les gars des autres clubs ou même les bénévoles. Comme mère, avais-je le droit de rêver que mon fils évite cet environnement de débiles? Et la cerise sur le *sundae*? Quand mon frère a refusé d'aller jouer midget AAA, mon père a arrêté de lui parler pendant deux mois. C'était l'enfer à la maison. Je te dis que ça ne faisait pas des soupers très agréables. Et moi, j'étais prise au travers de ces chicanes de famille.

— C'est triste, tout ça, rétorque Sylvain en se collant tendrement contre son épouse. Je comprends que ça t'a fait beaucoup de peine. Mais dis-toi qu'en ce moment tu fais autant de peine à Tristan. Tu as le droit de haïr le hockey et je détesterais peut-être ça autant si j'étais à ta place. Sauf que ce n'est pas mieux si c'est notre petit homme qui en souffre aujourd'hui parce que sa mère ne vient pas l'encourager...

MARTIN BRODEUR

SAVAIS-TU QUE...

Le gardien Martin Brodeur détient le record de la LNH pour le plus victoires en carrière avec 691 gains, 140 de plus que Patrick Roy qui suit au deuxième rang.

Mais savais-tu que Brodeur est également celui qui détient le record pour le plus de défaites en carrière avec 397 revers.

Il faut dire que le gardien québécois est aussi celui qui a disputé le plus de parties en saison régulière avec 1 266 apparitions.

CHAPITRE 11

Jamais Tristan n'avait espéré recevoir pareil cadeau de Noël. De la part de son oncle Ugo peut-être. Son père, ç'aurait pu passer. Mais venant de sa mère, c'est une surprise qui le jette carrément par terre. Ça le frappe encore plus en ce moment, maintenant qu'il est couché et qu'il tente en vain de s'endormir. Ça fait au moins une heure que les derniers invités sont partis et il devrait ronfler à cette heure-ci, après ce faste et joyeux réveillon. Pourtant, c'est impossible de trouver le sommeil. Il n'arrête pas de penser. Son esprit tourne en rond.

Le 28 février, c'est dans à peine deux mois. C'est à la fois si loin et si près. Plus il y réfléchit, plus il est convaincu qu'il s'agira possiblement du plus beau jour de sa vie. En tout cas, pour l'instant, c'est assurément le plus fantastique cadeau qu'on ne lui ait jamais offert. *Mais le 28 février, c'est quel jour?* pense-t-il soudainement.

— Pas un jour de semaine j'espère, murmure-t-il à haute voix, en repoussant ses draps aux couleurs des Canadiens. Il faut que je vérifie maintenant!

Pourtant, sa mère le lui a spécifié dès que son père et lui eurent fini de déballer la petite boîte. Si sa mémoire est bonne, c'est un samedi. En fait, habituellement, elle se veut presque infaillible. Mais cette fois-ci, il n'écoutait pas du tout ce que racontait Sonia, trop empressé à découvrir cet intrigant cadeau commun.

— Yes, c'est un samedi! s'exclame-t-il en retournant dans son lit, ses billets à la main.

C'est pour des occasions comme celle-ci que j'aurais besoin d'avoir un compte Facebook, réfléchit-il en étirant le bras pour éteindre sa lampe. *C'est trop injuste d'avoir des parents aussi stricts. Neuf ans, c'est quand même assez vieux. Je suis certain que je suis le seul dans l'équipe qui n'est pas là-dessus. Si je pouvais aller sur Facebook, tout le monde saurait que, papa et moi, on ira voir jouer les Canadiens contre les Penguins, au Centre Bell, le 28 février. Carey Price, PK Subban, Max Paciorety et compagnie contre Sidney Crosby. Ça va être incroyable! En plus, si j'avais un compte Facebook, je pourrais mettre plein de photos le lendemain. Quel coup de chance que maman ait pu dénicher cette paire de billets, elle qui ne connait personne à Montréal. Elle doit avoir payé une vraie petite fortune pour les acheter. Venant de sa part, c'est vraiment bizarre, un cadeau en lien avec le hockey… ça doit être ça, la magie de Noël!*

Normalement en congé dans l'horaire initial, les Pumas doivent interrompre leurs vacances le 28 décembre pour affronter les Pirates de Nicolet, derniers au classement général de la ligue. C'est une rencontre qui aurait dû avoir lieu en novembre sauf que l'équipe de la Rive-Sud a été obligée de la reporter puisqu'elle participait à un tournoi au même moment.

L'ambiance est festive à l'aréna de Saint-Boniface. Déjà que cette période de l'année se veut propice aux célébrations, les jeunes Pumas pourraient prolonger leur série victorieuse à trois. Tellement euphorique à l'idée de raconter à ses coéquipiers qu'il ira voir jouer le Tricolore à Montréal, Tristan oublie presque que son père ne passera pas par le vestiaire pour serrer ses patins avant la partie. De toute façon, ce n'est plus aussi dramatique. Il a maintenant l'expérience de ses sorties à la patinoire municipale et il répète son stratagème en s'enrubannant les deux chevilles, le plus fermement possible.

Quand il saute sur la glace, il détale à vive allure, pivote, freine, repart et sourit de satisfaction. Ce n'est pas encore parfait, mais il est capable d'attacher ses patins tout seul, comme un grand. Du regard, il cherche son père dans les gradins. Il est facile à repérer puisqu'il a quitté la maison avec une tuque de père Noël sur la tête et il a décidé de la garder une fois arrivée à l'aréna.

— As-tu vu, p'pa? crie Tristan en s'approchant des estrades. J'ai patiné full vite et j'ai *breaké* sec. Je suis capable d'attacher mes patins maintenant. J'ai juste à mettre du *tape*, comme tu m'as dit.

— Oui, j'ai vu, crie Sylvain en se levant de son siège. Bravo, mon gars! Tu es vraiment bon, je suis fier de toi!

— Regarde ça, je vais aller te faire un *top net*, conclut Tristan avant de déguerpir vers le filet, occupé à ce moment par Jacob.

Tellement absorbé par ses patins, il n'a même pas remarqué que son père n'était pas seul. Et quand Sylvain est venu pour lui dire de regarder qui venait le rejoindre avec deux cafés à la main, il avait déjà décampé.

— Tu avais raison, chéri, j'aurais dû vous accompagner bien avant, dit Sonia en s'assoyant à côté de son mari. Je marchais et je voyais Tristan si heureux. Ses yeux brillaient de bonheur. Au fait, qu'est-ce qu'il te criait ?

— Il voulait me dire qu'il a attaché ses patins tout seul. Ce n'est pas rien, ça, répond Sylvain.

— Lui as-tu dit que j'avais décidé de venir vous rejoindre ?

— Je n'ai pas eu le temps! J'allais lui dire et il a tourné les talons. Mais tu vas voir, chaque fois qu'il fait un beau jeu, il jette un coup d'œil vers moi pour s'assurer que je l'ai bien vu. On a juste à espérer qu'il fasse au moins un beau jeu et il va te voir. Le défi, ce n'est pas qu'il te voit, c'est qu'il fasse un beau jeu! rigole-t-il.

Peut-être un peu ankylosés par les repas copieux des derniers jours, les Pumas se montrent peu impressionnants en première période. Le club visiteur mène 2 à 0 et il n'y a eu aucun moment de réjouissance pour la troupe de Martin Dupuis.

Dès le début du deuxième engagement, Samuel prend la rondelle dans sa zone et patine d'un bout à l'autre de la patinoire en se moquant des joueurs de Pirates pour réduire l'écart à 2-1. Pas longtemps après, Jérémy et Noah s'échappent à deux contre un et le pauvre défenseur de Nicolet trébuche en pivotant à sa ligne bleue, pour ainsi leur céder le chemin. Ils s'échangent le disque et, même si le gardien vient près d'effectuer l'arrêt, le tir de Noah glisse entre ses jambières. L'égalité est créée.

Samuel ajoute un but, puis Émile touche aussi la cible. Les Pumas enregistrent quatre buts sans réplique et ils ne se retrouvent qu'à une période d'un troisième gain d'affilée. Dans les gradins, les parents s'emballent. Au banc, les entraîneurs encouragent les jeunes.

— On vient de jouer notre meilleure période de l'année, lance Martin visiblement très fier de sa troupe. Vous m'impressionnez en sapristi. On perdait 2-0, et au lieu de vous décourager, vous êtes revenus forts. Mais il faut continuer comme ça en troisième parce que c'est loin d'être fini. Pumas...

— Goooo! répondent les joueurs en criant de toute leur force.

— Pumas... répète l'entraîneur-chef en poussant sa grosse voix au maximum.

— Goooo, goooo, gooo! répliquent à nouveau les p'tits gars avec fébrilité.

Encouragés par ce discours de

motivation, les porte-couleurs de Saint-Boniface reprennent là où ils avaient laissé. Dès le début du dernier tiers, Noah vient bien près d'inscrire son deuxième filet de la partie, mais cette fois, le gardien étire la jambière et bloque son tir.

Posté près de l'enclave, Tristan voit la rondelle apparaître devant son bâton. Sans hésiter, il la frappe le plus fort possible, tellement fort qu'il tombe à la renverse. Quand il vient pour se relever, Noah, Jérémy, Olivier et Charles-Étienne lui sautent littéralement dessus pour le féliciter pour son premier but. Un peu gêné, il sourit timidement en retournant vers le banc suivi de ses coéquipiers. Quand il porte son regard vers son père, il aperçoit ce dernier qui sautille sur place en pointant énergiquement la personne à sa gauche. C'est sa mère, tout aussi frénétique que son père. Elle applaudit avec ses grosses mitaines blanches que Tristan lui a offertes à Noël, avec ses économies. Dire qu'il pensait qu'elle ne les porterait jamais!

— Je ne raterai plus jamais aucun match, dit-elle à Sylvain en essuyant ses yeux pleins d'eau. Dire que j'aurais pu rater ce merveilleux moment. Merci, mon amour, d'avoir insisté, ajoute-t-elle en l'embrassant.

— Bravo, mon champion! C'est tout un but, ça, lance Robert Lalonde à Tristan quand il arrive au banc. Je ne savais pas que tu avais une garnotte de même!

— Ce n'était même pas mon plus fort en plus!

— C'est pas mal mieux que l'autre jour quand tu as failli *scorer* dans un filet désert. Tu ne trouves pas que c'est plus le fun, *scorer* un vrai beau but?

— Tu as raison! C'est vraiment mieux. Et, sais-tu quoi, Robert? interroge Tristan, avec un rayonnant sourire.

— Quoi? Tu vas en *scorer* un autre tantôt? répond l'homme en éclatant de rire.

— Peut-être! Mais ce n'est pas ça que je voulais te dire.

— Ah bon. C'est quoi, alors?

— Tu avais raison l'autre jour, je n'oublierai jamais mon premier but. Jamais de toute ma vie!

SAVAIS-TU QUE...

En 1919, la finale de la Coupe Stanley n'a pas été complétée.

La série entre les Metropolitans de Seattle et les Canadiens de Montréal a été arrêté à 2-2-1 en raison d'une épidémie de grippe espagnole. Le directeur-général du Canadien George Kennedy ainsi que les joueurs Joe Hall, Billy Coutu, Jack McDonald et Newsy Lalonde ont été hospitalisés. Même que Joe Hall est malheureusement décédé, quatre jours après l'annulation du dernier match.

À PARAITRE

TOME 2 - LE TOURNOI

TOME 3 - L'IMPROBABLE TRIOMPHE

REMERCIEMENTS

À Arnaud Foulon des Éditions Hurtubise qui m'a laissé l'opportunité de vivre ce projet si emballant avec mes amies des Éditions Z'ailées.

L'AUTEUR

Né à Saint-Boniface en Mauricie, le réputé journaliste sportif Luc Gélinas couvre les activités quotidiennes des Canadiens de Montréal et de la Ligue nationale de hockey depuis plus d'une vingtaine d'années pour RDS, chaîne de télévision  dédiée aux sports. En 2008, il publie son premier livre, *La LNH, un rêve possible*, vendu à près de 30 000 exemplaires. Plus récemment, il a publié chez Hurtubise une série jeunesse pour adolescents se déroulant dans l'univers de Ligue de hockey junior majeur du Québec (LHJMQ), *C'est la faute à...* qui a connu beaucoup de succès.